绘本馆
绘声绘色 童书汇
学会爱自己（第3辑 ⑥）

（学会自我保护·懂得善待自己）

文字／[德]安特娅·斯拉特　绘图／[德]米娅姆·科德斯　翻译／张清泉

不要随便排挤别人

青岛出版社
QINGDAO PUBLISHING HOUSE

“起床了，汤姆！”妈妈说，“该去学校了。”

可是汤姆一点儿都不想去，因为同学约翰内斯总是叫他“胆小鬼”“笨蛋”“傻瓜”。有一次，约翰内斯还把汤姆的面包丢进了垃圾桶，并说：“你已经够胖了！”虽然汤姆根本就不胖，可是看到这一幕的几个小朋友还是笑了。

昨天做操的时候，约翰内斯故意伸出脚绊倒了汤姆。周围的小朋友都笑了，包括卢卡斯——他可是汤姆最好的朋友！

所以，汤姆现在一点儿也不想去学校。

汤姆慢吞吞地从被窝儿里爬出来，一步步地挪进洗手间。他洗洗脸、梳梳头，然后用漱口杯玩起水来。

妈妈说：“你得抓紧时间，我们快要迟到了。”

“我不想去上学。”汤姆小声说。

“为什么呢？是不是跟小朋友吵架了？”妈妈问。

汤姆摇摇头。他不想跟妈妈说约翰内斯的事情——妈妈知道了又能怎么样呢？

上学的路上，汤姆一直紧握着妈妈的手，这让妈妈觉得更奇怪了：汤姆以前从不这样！

走进教室，汤姆突然哭了起来：“我想回家……”

“汤姆，到底发生了什么事？”妈妈担心地问。

汤姆刚要开口，却看到约翰内斯走了进来，他吓得默默地摇了摇头。

妈妈叹了口气，说：“好吧，那我先走了。”

约翰内斯跑到玩具角，跟费音和阿力一起说笑起来。

“他们一定又在笑话我。”汤姆心想。

“汤姆，怎么不去跟小朋友一起玩？如果你遇到了麻烦，可以随时告诉我，知道吗？”妮娜老师说。妮娜老师总是这么亲切，汤姆特别喜欢她。

汤姆走向正在绘画桌前画画的保罗和卢卡斯。

但是，保罗对汤姆说："我们俩不想和你一起玩。"

汤姆非常伤心，感觉喉咙像是被什么东西堵住了一样。

"你不应该这么做！"他听到卢卡斯对保罗说。

"你难道要惹约翰内斯不高兴？"保罗小声说。

汤姆的心怦怦直跳，他感觉糟糕透了："现在，连卢卡斯也不接纳我了，他可是我最好的朋友！"

汤姆走进游戏室，可是，妮乐和米娅一看到他，立刻躲开了。

汤姆沮丧地爬上了攀登架。这时，约翰内斯走了进来，他大喊着“给我闪开”，一下子把汤姆推了下去。

汤姆重重地摔了下来。米娅和约翰内斯大笑起来，妮乐假装什么都没有看到。

汤姆从垫子上爬起来，冲到了门口。他想离开这里，马上！但是，门被锁上了。

“你怎么哭了？是因为约翰内斯吗？”卢卡斯问。

汤姆轻轻地点了点头，他悄悄告诉卢卡斯：“约翰内斯把我从攀登架上推了下来，摔得我好痛。”

“不能再这样了！我们去告诉妮娜老师吧！”说完，卢卡斯站了起来。

“不！如果约翰内斯知道我们告状了，他肯定会非常生气，情况会变得更糟糕的。”

“不会的。”说着，卢卡斯跑了出去。

过了一会儿，妮娜老师来了，她对汤姆说："当一个人遇到麻烦时，如果自己无法解决，就应该向他人寻求帮助。卢卡斯对我说你需要帮助，你能说一下是怎么回事吗？"

汤姆说："约翰内斯总是排挤我。其他人也不愿意跟我玩，还常嘲笑我或者假装没有看到我被欺负。"

卢卡斯的脸红了，因为他也嘲笑过汤姆。他轻声对妮娜老师说："因为我们都害怕约翰内斯。"

妮娜老师想了想，说："我有一个好主意……"

妮娜老师把大家叫到一起，说：“我们一起来玩个游戏。谁想第一个开始？”

大家都争先恐后，只有汤姆默不作声。妮娜老师最后选定约翰内斯来开始游戏，他很得意。

“约翰内斯，你现在是‘边缘人’！”妮娜老师突然说出了角色设定。

“什么?!”约翰内斯大吃一惊。

“这只是个游戏。规则是：大家要相互问好，但是不能搭理‘边缘人’，要装作没有看见他。如果有人自愿代替‘边缘人’，与他拥抱或者握手，他就变回‘自由人’；如果没有人愿意代替他，游戏进行四分钟后换另一个人。听清楚了吗？”

小朋友们点点头，游戏开始了。

大家相互问好，可是没有人理睬约翰内斯，他变得焦躁不安。终于，妮娜老师说：“时间到。下一个‘边缘人’是妮乐。”妮乐的运气不错，她的好朋友米娅向她伸出了手。

游戏继续进行：一些小朋友被老师或其他小朋友主动代替，一些小朋友在四分钟后被指定的人代替。最后，轮到汤姆了。他胆怯地站了出来，不敢看其他人。这时，卢卡斯来到他的面前，微笑着向他伸出了手。

妮娜老师拍拍手示意大家安静，然后说：“所有小朋友都做了一遍‘边缘人’！我们来讨论一下：受到排挤时，大家有什么感觉？”

“没有人愿意跟我说话的时候，我觉得很难过。”蒂娜说。

“心情真是糟透了。”菲利克斯说。

“当尤勒向我伸出手的时候，我不觉得孤单了，特别开心！”玛丽说出了自己的想法。

妮娜老师微笑着看了看大家，说：“你们要友好相处，谁都不应该排挤别人。有时候，向别人伸出援助之手，或者和他并肩站在一起，是需要勇气的，但是，当你真的这样做了，就会明白：和朋友在一起的感觉真好。”

讨论结束后，到了户外活动时间。

“汤姆，我们一起踢球吧！你来开球。”保罗说。

汤姆一下子变得神采奕奕，他把球摆正、开球。

但是，球被踢偏了，在草地上滚了好远，最后停在了约翰内斯的面前。

汤姆觉得胃里像是有什么东西在翻滚，但他还是鼓起勇气走到约翰内斯面前。

约翰内斯脸上露出不太自然的微笑，双手把球递给了汤姆。

“谢谢。”汤姆说。

汤姆转身回来时，看到卢卡斯脸上洋溢着鼓励的笑容。

写给父母的话

孩子们之间发生矛盾是很正常的，因为他们有着不同的年龄、生长环境以及兴趣。但是，矛盾不应该导致欺负与排挤。如果一个孩子总是被其他孩子故意伤害，不管是直接的还是间接的，不管是身体上的还是心理上的，这就是受到了欺负。在欺负行为中，除了“受害者”和“实施者”，还有一个角色是“旁观者”，他们往往不敢采取行动来抵制这种不良行为，常以假装没看到的态度冷漠对待。

对孩子们来说，父母是重要的倾诉对象。如果你的孩子突然不愿意去上学；晚上常常感到害怕，睡不好；带去学校的东西常常无缘无故地丢失或遭到破坏；对你说他喜欢激怒同学……出现这些情况时，毫无疑问，欺负与排挤的现象一定存在。

面对这个问题，家长应该做些什么呢？非常重要的是要对孩子有耐心，要关注孩子的感受与情绪；还可以找孩子的老师谈谈，一起商量解决问题的办法。对于被欺负和受排挤的孩子，要注意增强他们的自信心，同时，引导他们学会清楚地表达自己的感受，并指导和帮助他们去积极应对所面对的问题。对于欺负和排挤行为的实施者，父母和老师要教他们学会正确地扮演“领导者”角色，学会合作以及遵守规则。

父母可以采取的具体做法有：

● 重视孩子的感受，帮助孩子承认和接受各种特别的、陌生的感受，进而思考解决问题的办法。

● 以身示范，让孩子感情移入，学会在群体生活中设身处地地为别人着想，尊重别人的感受。

● 认真倾听并给予积极的回应，成为值得信任的倾诉对象。

● 发现并赞赏孩子取得的成绩、孩子自身的优点和潜藏的能量，与孩子一同分享他的成功经历，让他即使身处困境中也充满勇气。

● 让孩子多参与群体活动以及重要的事情，增强他的参与感。

克丽斯塔·舍费尔

（教育家及媒体人）

图书在版编目(CIP)数据

不要随便排挤别人 / [德] 斯拉特文 ; [德] 科德斯绘 ; 张清泉译
—青岛 : 青岛出版社 , 2015.7
（学会爱自己 · 第 3 辑；6）
ISBN 978-7-5552-2726-7

Ⅰ . ①不… Ⅱ . ①斯… ②科… ③张… Ⅲ . ①儿童文学 – 图画故事 – 德国 – 现代 Ⅳ . ① I516.85

中国版本图书馆 CIP 数据核字 (2015) 第 169182 号

Original title: Du gehörst nicht dazu!
Text by Antje Szillat / Illustrated by Miriam Cordes.

版权代理：北京华德星际文化传媒有限公司。
山东省版权局著作权合同登记号　图字：15-2014-271 号

书　　名	学会爱自己（第 3 辑 ⑥）· 不要随便排挤别人
文　　字	[德] 安特娅 · 斯拉特
绘　　图	[德] 米娅姆 · 科德斯
翻　　译	张清泉
出版发行	青岛出版社
社　　址	青岛市海尔路 182 号（266061）
本社网址	http://www.qdpub.com
邮购电话	13335059110　0532-85814750（传真）　0532-68068026
策划编辑	谢　蔚　刘怀莲
责任编辑	刘怀莲
特约编辑	梁　颖
装帧设计	稻　田
印　　刷	青岛乐喜力科技发展有限公司
出版日期	2015 年 8 月第 1 版　2019 年 6 月第 23 次印刷
开　　本	16 开（787mm × 1092mm）
印　　张	13.75
字　　数	270 千
书　　号	ISBN 978-7-5552-2726-7
定　　价	98.00 元（全 7 册）

编校印装质量、盗版监督服务电话　4006532017　0532-68068638